Para minhas filhas, Julia e Olivia,
minha mãe e todas as mães

Direção editorial: Ana Cristina Gluck
Revisão: Joana Mendes

2ª edição global

Dados Internacionais de Catalogação na Publicação (CIP)
(Câmara Brasileira do Livro, SP, Brasil)

....

Dalzini, Cristimere
    Amor de mãe / escrito por Cristimere Dalzini ; ilustrado por Jazz Miranda. -- Rio de Janeiro : Tudo! Editora, 2022.

    ISBN 978-65-84887-73-2

    1. Mães e filhas - Literatura infantojuvenil I. Miranda, Jazz. II. Título.

22-137976   CDD-028.5

....

Índices para catálogo sistemático:

1. Literatura infantil 028.5
2. Literatura infantojuvenil 028.5

Inajara Pires de Souza - Bibliotecária - CRB PR-001652/O

Tudo! Editora
Caixa Postal 70068
Ipanema, Rio de Janeiro, RJ
22420-970
Brasil

www.tudoeditora.com

A sua opinião é muito importante para nós e para outros leitores. Por favor, escreva uma avaliação para este livro na Amazon e nos ajude a divulgá-lo para outras pessoas. Agradecemos o seu apoio.

T! Tudo!

Amor de Mãe

Escrito por Cristimere Dalzini & ilustrado por Jazz Miranda

Minha mamãe
acorda feliz e
dá um beijinho
em meu nariz.

Ensina-me sempre contente
a escovar bem os dentes.

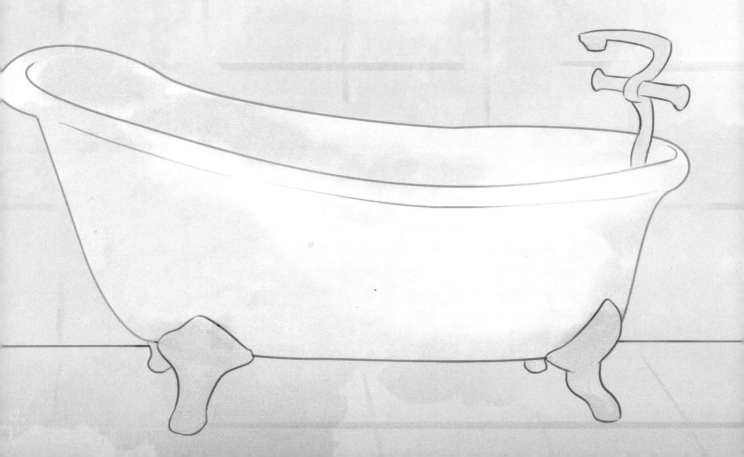

Ela, às vezes, reclama
quando não tiro o pijama.

E, o melhor a fazer,
eu sei que é "obedecer".

Como sabe que sou criança,
não me faz tanta cobrança.

E, quando não sei o dever,
me explica até eu entender.

Mamãe adora festejar
e meu aniversário gosta de celebrar.

Prepara brigadeiro, enche balão,
e eu me divirto de montão!

Quando me dá
um presente,
eu fico toda
contente!

Acho que ela tem
sexto sentido,
pois acerta até
a cor do vestido.

A mamãe é muito criativa:
inventa brinquedos e me cativa.

Com uma caixa de papelão
construímos um avião.

Com ela vou brincar lá fora
de pipa, peteca e de bola.

Pulamos corda, jogamos pião
e fazemos bolhas de sabão.

Toda noite conversa comigo
para eu ficar longe do perigo.

Com ela não tenho segredos
e conto todos os meus medos.

E, assim, ela arruma um tempinho
para ler comigo, dá um jeitinho,

e me conta muitas histórias
de sua infância e suas memórias.

Tão feliz eu adormeço
e, a sonhar, logo começo.

Com ela, fico a imaginar
quais histórias, um dia, irei contar.

– Obrigada, mamãe,
por tudo que você faz por mim.

– Por nada, meu bem.
Amor de mãe é assim!

Cristimere Dalzini

Sou brasileira, descendente de imigrantes italianos e moro em Massachusetts, nos Estados Unidos. Sempre gostei de escrever e contar histórias para crianças. Hoje, embarco na literatura infantil como autora e me empenho em ensinar para minhas filhas o português como língua de herança.

Conecte-se comigo:
🅞 **cristimeredalzini**

Jazz Miranda

Sou natural de Santos, São Paulo. Em 2016, me formei em Cinema e Audiovisual. Atualmente, além da ilustração, também atuo no campo da Animação. Gosto muito de contar histórias e criar personagens, independente da mídia em que elas são retratadas.

Conecte-se comigo:
📷 **dangerjazz**

Se você gostou do livro **Amor de Mãe**, por favor, deixe sua avaliação na Amazon. Sua opinião é muito importante para nós e para outros leitores. Obrigada pelo seu apoio.

 **Tudo!**

Quem somos

Somos uma editora focada em literatura infantil multilíngue. Nossa missão é incentivar a leitura e o ensino de idiomas para crianças em todo o mundo. Nossos livros são distribuídos e vendidos globalmente, nos formatos capa comum e eBook Kindle. Atualmente, publicamos títulos em seis idiomas: português, inglês, espanhol, francês, alemão e italiano.

Adquira nossos livros online

Em todo o mundo: Amazon.

No Brasil: Amazon, Americanas, Carrefour, Casas Bahia, Estante Virtual, Extra, Magazine Luiza, Mercado Livre, Ponto Frio, Shoptime e Submarino.

Conecte-se conosco

tudo.editora

tudoeditora

www.tudoeditora.com

Livros sobre Tudo! para crianças em todo o mundo.

Manufactured by Amazon.ca
Bolton, ON

34284015R00019